ANNE SCHLOSSER

ÜBERWINDE DEINE KONTAKTANGST

EIN TRAININGSPROGRAMM:

IN SIEBEN SCHRITTEN VOM KONTAKTMUFFEL ZUM NETZWERKER

Bibliografische Information der Deutschen Nationalbibliothek:

Die Deutsche Nationalbibliothek verzeichnet diese Publikation in der Deutschen Nationalbibliografie; detaillierte bibliografische Daten sind im Internet über http://dnb.dnb.de abrufbar.

Foto: © stockpics - Fotolia.com

Umschlaggestaltung: Sophia Valkova

Lektorat: Annette Scholonek

Herstellung und Verlag: BoD – Books on Demand, Norderstedt

ISBN: 978-3-7347-5913-0

Inhaltsverzeichnis

Die meisten Menschen beschränken sich mit negativen Glaubenssätzen selbst. Den größten Teil ihres Lebens können sie sprechen, aber schon die Vorstellung, eine fremde Person anzusprechen, macht ihnen Angst. Die Möglichkeit, vor mehreren Menschen zu sprechen, verursacht Panik. Ich selbst war ganz ähnlich. Als ich das erste Mal vor ein paar Dutzend fremden Menschen sprechen sollte, verbrachte ich drei schlaflose Nächte, litt während des Vortrags unter einem Schweißausbruch und machte mir beinahe in die Hose. Aber ich habe es überlebt. Inzwischen spreche ich regelmäßig vor mehreren hundert Menschen und habe Spaß daran.

Die hier dargestellten sieben Schritte habe ich basierend auf eigenen Weiterbildungen und meinen Erfahrungen entwickelt. Das Programm können Sie selbst ohne die Unterstützung eines Trainers durchführen. Wichtig dabei ist lediglich, dass Sie ehrlich mit sich sind. Gehen Sie erst dann zum nächsten Schritt, wenn Sie sich mit dem vorangegangenen so richtig »wohlfühlen«.

Ich wünsche Ihnen viel Spaß auf Ihrem ganz persönlichen Weg zu mehr interessanten Kontakten, Lebensfreude und beruflichem Erfolg.

Ihre Anne Schlosser

1   Das Programm

Das nachfolgende Programm ist so aufgebaut, dass Sie es ohne fremde Hilfe durcharbeiten können. Bei den einzelnen Schritten erzielen Sie die besten Resultate, wenn Sie Ihre Erfahrungen in Form eines kleinen Erfolgstagebuches festhalten. Legen Sie jeden Abend vor sich selbst in schriftlicher Form Rechenschaft ab: Was haben Sie gemacht, um den nächsten Schritt zu erreichen? Welche Erfolge haben Sie erreicht und was sind Ihre Erkenntnisse daraus? Halten Sie ebenfalls fest, wo Sie noch Möglichkeiten sehen, sich zu verbessern. Dabei sollten Sie sich auch erlauben, zu experimentieren. So gelangen Sie zu besseren Resultaten.

Sollten Sie im Verlauf Ihres Trainings feststellen, dass sich Ihre Resultate verschlechtern, lesen Sie im Erfolgstagebuch die Berichte der Tage nach, wo Sie besonders erfolgreich waren, und prüfen Sie, was Sie seither geändert haben. So haben Sie die beste Chance, zu weiteren Erfolgen zu finden.

2 Schritt 1: »Bitte lächeln. «

Lassen Sie uns ganz einfach in das Training einsteigen: Lächeln Sie Menschen an. Ich spreche hier nicht von einem Lächeln auf den Stockzähnen, das Ihr Gegenüber im Zweifelsfall für einen Ausdruck von Zahnschmerzen halten kann. Ich spreche von einem herzlichen Anlächeln, das der andere tatsächlich als solches wahrnimmt.

Wie sind die Reaktionen? Gern würde ich Ihnen sagen, dass die Menschen zurücklächeln. Die Realität ist eine andere. Meiner Erfahrung nach werden etwa 10 Prozent der Menschen, welche Sie anlächeln, auch zurücklächeln. Andere werden wegschauen oder mit Gesten Ihre geistige Kompetenz infrage stellen. Egal. Lächeln Sie Menschen an.

Sie können sich darauf vorbereiten, indem Sie daheim vor dem Badezimmerspiegel (oder dem Schminkspiegel) üben. Lächeln Sie die Person an, welche Ihnen da im Spiegel entgegenschaut. Wenn Ihr Spiegelbild nicht erkennbar zurücklächelt, sollten Sie etwas an Ihrem Lächeln ändern.

Ohne esoterisch klingen zu wollen: Sie können beim Lächeln gerne experimentieren. Wenn Sie einen Menschen wie beschrieben anlächeln, konzentrieren Sie sich auf etwas, was Sie an dieser Person mögen könnten. Obwohl Sie diesen Menschen nicht kennen, dürfen Sie ruhig Vermutungen anstellen. Versuchen Sie danach, diese Sympathie in das Lächeln zu legen. Sie werden feststellen, dass die Reaktion in vielen Fällen eine andere ist.

In Schritt 1 lernen Sie folgende Dinge:

- Mit einem offenen Lächeln auf Menschen zuzugehen, hilft Ihnen in jeder Kommunikation. Es baut Grenzen ab und signalisiert Ihrem Gegenüber Sympathie und Offenheit.
- Sie werden erleben, welch riesigen Einfluss das, was Sie über Ihr Gegenüber denken, auf die Kommunikation haben kann, auch wenn Sie das gar nicht verbal äußern.
- Sie gewinnen mehr Selbstvertrauen, kommen womöglich schon mit jemand Fremdem ins Gespräch oder aber Sie lernen mit Ablehnung umgehen und erkennen, dass das gar nicht so schlimm ist.

Das Ziel:

Sie haben den ersten Schritt erfolgreich bewältigt, wenn an einem Tag mehr als sieben unbekannte Menschen zurücklächeln. Ideal ist es, wenn Sie über diesen ersten Schritt (oder auch einen der folgenden) mit Menschen in ein positives Gespräch kommen.

3 Schritt 2: »Sag doch mal Hallo.«

Nun lassen Sie uns die Schwierigkeit etwas steigern. – Oder ist es womöglich gar nicht schwerer? In Schritt 2 geht es darum, fremde Menschen zu grüßen. Egal ob Sie »Hallo«, »Grüezi«, »Grüß Gott« oder »Hi« sagen: Es geht nicht um die Sprache, sondern ausschließlich darum, dass Sie eine wildfremde Person grüßen. Je nachdem wo Sie leben, kann die Reaktion unterschiedlich sein. Auf dem Land wird der Gruß tendenziell eher erwidert als in der Stadt.

14

Als ich diese Übung das erste Mal machte, erlebte ich Menschen, welche mich zurückgrüßten, solche, die den Kopf schüttelten, und den einen oder anderen, der fragte, ob wir uns kennen. Mit mancher Person kam ich dann ins Gespräch und zwei davon wurden später Geschäftspartner in meiner Downline.

Auch hier empfehle ich wieder, dass Sie die Zusatzübung mit den positiven Gedanken aus Schritt 1 einsetzen. Sie werden sehen, die Resultate werden dadurch signifikant besser. Menschen fühlen, ob wir es mit ihnen »gut meinen«, und reagieren darauf.

Natürlich gibt es auch immer wieder negative Reaktionen. Das ist normal und auch Teil des Trainings. Sie sollen erfahren, dass auch negative Reaktionen »kein Weltuntergang« sind und nichts mit Ihnen zu tun haben. Seien Sie diesen Menschen dankbar, denn Sie lernen durch deren Ablehnung, solche Reaktionen nicht persönlich zu nehmen.

In Schritt 2 lernen Sie folgende Dinge:

- eine einfache Kontaktaufnahme mit unbekannten Menschen
- Sie sammeln Erfahrungen mit positiven und negativen Reaktionen und lernen, mit negativen Reaktionen umzugehen.

Das Ziel:

Sie haben das Ziel erreicht, wenn an einem Tag sieben (oder mehr) Menschen freundlich zurückgrüßen. Sobald Sie das geschafft haben, gehen Sie über zu Schritt 3.

4   Schritt 3: »Wie komme ich zu …?«

Während unsere Schritte der Kontaktaufnahme bisher noch relativ unverbindlich waren, machen wir nun einen Schritt, der Sie Ihrem Ziel, mit Menschen ins Gespräch zu kommen, erheblich weiterbringt. Jetzt geht es darum, mit einer Ihnen unbekannten Person zu interagieren.

Ihre Aufgabe ist ganz einfach: Gehen Sie auf Menschen zu und fragen Sie diese nach dem Weg. Sollten Sie in einem kleineren Dorf wohnen, macht es womöglich Sinn, wenn Sie in den nächstgrößeren Ort fahren, damit sich Ihre Kontakte nicht veräppelt fühlen.

In Schritt 3 lernen Sie folgende Dinge:

• eine Person anzusprechen und sie um etwas zu bitten

- eine erste kurze Interaktion mit einer wildfremden Person erfolgreich durchzuführen
- Sie gewinnen Selbstvertrauen im Ansprechen fremder Menschen und machen Erfahrungen, wie Sie wirken.

Das Ziel:

Diesen Schritt haben Sie erfolgreich erledigt, wenn Sie an einem Tag fünf Mal eine Auskunft erhalten. »Weiß ich nicht«, »Bin nicht von hier« und ähnliche Antworten zählen selbstredend nicht als Auskunft.

5   Schritt 4: »Wie spät ist es jetzt?«

Inzwischen konnten Sie einige Erfolge verbuchen. Nun gehen wir einen Schritt weiter und versuchen, das Gespräch gezielt zu führen. Das machen wir mit der Frage nach der Zeit.

Fragen Sie wildfremde Personen nach der Uhrzeit. Manche werden sie Ihnen gern nennen, andere werden nicht reagieren und Sie stehen lassen. Wiederum andere werden Ihnen sagen, dass sie keine Uhr hätten. Genau diese sind für unsere Übung wichtig. Fragen Sie zurück, ob diese Leute eventuell ein Mobiltelefon mit einer Zeitangabe hätten. Wenn ja, bitten Sie Ihren Gesprächspartner, darauf kurz für Sie nachzuschauen.

Bei dieser Aufgabe sollten Sie weder Uhr noch Handy mit sich tragen.

In Schritt 4 lernen Sie folgende Dinge:

- Sie beginnen das Gespräch systematisch zu führen und Ihr Gegenüber um konkrete Dinge zu bitten. Ebenso haken Sie nach, statt sich mit der ersten Antwort zufriedenzugeben.
- Ihr Selbstvertrauen in der Interaktion mit fremden Menschen wächst.

Das Ziel:

Diesen Schritt haben Sie erfolgreich bestanden, wenn Sie an einem Tag von mindestens sieben Menschen die Uhrzeit erfahren. Idealerweise haben möglichst viele davon Ihretwegen extra ihr Mobiltelefon hervorgeholt, um Ihnen die Zeit zu sagen.

6 Schritt 5: »Können Sie bitte wechseln?«

Erste Erfahrung in der Interaktion mit fremden Menschen haben Sie inzwischen gemacht. Nun geht es um eine weitere Herausforderung: »Können Sie mir bitte x wechseln?« ist der nächste Schritt. Fragen Sie eine Ihnen unbekannte Person auf der Straße, ob sie Ihnen 5 Euro oder Franken als Kleingeld ausgeben könne. Anschließend bitten Sie die nächste Person, die vielen Münzen wieder gegen einen 5-Euro-Schein oder ein 5-Franken-Stück einzutauschen.

Die meisten Menschen gehen relativ unbefangen an das Wechseln einer größeren Einheit in Kleingeld heran. Es entspricht dem, was sie aus ihrem Leben kennen. Menschen wechseln Kleingeld zum Füttern von Getränke- oder Parkscheinautomaten oder um irgendwelche Tickets zu kaufen. Falls Sie jedoch das Umgekehrte erbitten, also aus Kleingeld eine größere

Einheit zu bekommen, erscheint das vielen Leuten rätselhaft.

Wenn ich diese Übung mit neuen Mitgliedern meines Teams mache, kommt immer dieselbe Frage auf: »Was soll ich sagen, warum ich die Münzen zum Schein gewechselt brauche?«

Jüngst äußerte eine neue Partnerin sogar den Verdacht: »Der wird denken, ich will ihm Falschgeld andrehen«. Meine Frage, woher sie das denn wisse und ob sie irgendwelche Erfahrungen dieser Art gemacht habe, verneinte sie allerdings. Die Meinung entsprang einfach ihrem Glaubenssatz.

Meine Erfahrung in dieser Übung ist, dass die meisten Menschen nicht nachfragen. Wenn doch, dann geben Sie eine beliebige Erklärung wie beispielsweise, dass der Automat eben nur die entsprechenden Scheine oder Münzen akzeptiere oder ähnliches. Die Art der Rückmeldung hängt auch in diesem Schritt davon ab, wie überzeugend Sie auftreten. Wenn Sie freundlich sowie mit einem Lächeln bitten und schon in Ihrem Auftritt tiefe Überzeugung ausdrücken, dass Sie das gewechselte Geld brauchen, dann werden Sie im überwiegenden Teil der Fälle erfolgreich sein.

In Schritt 5 lernen Sie folgende Dinge:

- wie Sie freundlich um einen Gefallen bitten
- wie Sie mit Ihrem Auftreten die Gewissheit zum Ausdruck bringen, dass Sie das, worum Sie bitten, auch benötigen
- wie Sie Menschen dazu bringen, dass sie Ihnen die Bitte gern erfüllen

Das Ziel:

Sie haben das Ziel dieses Schrittes erreicht, wenn Sie an einem Tag mindestens fünf Mal Münzen in eine größere Einheit (5-Euroschein, 5-Frankenstück o. ä.) getauscht haben.

7   Schritt 6: Komplimente machen

In Schritt 6 arbeiten wir an einer weiteren Kompetenz, welche uns in der Kommunikation mit Mitmenschen hilft. Leute können sich gegen fast alles zur Wehr setzen, aber kaum gegen ein ehrlich gemeintes Kompliment. Jene, die uns solche Komplimente machen, sind uns sympathisch. Wir geraten mit ihnen in eine positive Schwingung. Voraussetzung ist, dass es der Sprecher ernst meint. Die meisten Menschen haben ein sehr feines Sensorium, das uns zeigt, ob jemand ein Kompliment ernst meint oder es nur äußert, um etwas zu erreichen. Seien Sie Ihrem Gegenüber fair und äußern Sie nur aufrichtige Komplimente.

Wenn wir einen Menschen mit Sympathie betrachten, fällt uns bei jedem etwas Positives ein. Beispiele für Komplimente können sein:

- *Ihre Frisur passt toll zu Ihrem Typ. Könnten Sie mir Ihren Friseur empfehlen?*
- *Ich habe gerade Ihre wunderschöne Brosche gesehen. Ist das ein Opal in der Mitte?*
- *Ich muss Ihnen unbedingt zu Ihrer Kleidung gratulieren. Die sitzt ja super. Ist das eine Maßanfertigung?*

Vermeiden Sie Plattheiten und Anmachsprüche. Wenn Sie als Mann eine junge Frau mit den Worten »Ihre Augen leuchten wie Sterne« ansprechen, dann wird das nicht zwingend positiv aufgenommen. In den Beispielen habe ich das Kompliment direkt um eine Frage ergänzt. Zum einen wirkt das Ganze dadurch natürlicher und mit der Frage finden Sie gleich eine Überleitung in ein weiterführendes Gespräch.

In Schritt 6 lernen Sie folgende Dinge:

- sich auf positive Seiten und Attribute von Menschen zu konzentrieren
- Menschen auf positive Attribute anzusprechen und ihnen Komplimente zu machen
- mit Menschen gezielt in ein Gespräch zu kommen

Das Ziel:

Sie haben das Ziel dieses Trainingsschrittes erreicht, wenn es Ihnen an einem Tag gelungen ist, in drei unterschiedlichen Situationen mit drei verschiedenen, Ihnen unbekannten Personen ins Gespräch zu kommen, nachdem Sie diese mit einem Kompliment angesprochen haben.

8   Schritt 7: Die Empfehlungsfrage

Im letzten Schritt Ihres Trainings geht es darum, eine Ihnen unbekannte Person um eine Empfehlung zu fragen. Sprechen Sie eine fremde Person an und fragen Sie diese beispielsweise nach einem Restaurant, wo man gut mittagessen kann, oder nach einem schönen Ort zum Spazieren. Ich habe diese Übung gern auf Reisen gemacht, um besonders schöne Orte zu erfahren, die nicht im Reiseführer stehen. Sie können aber auch nach einem Friseur fragen etc.

Dabei werden Sie hoffentlich erleben, wie interessant Gespräche sein können, wenn Sie mit Interesse auf andere Menschen zugehen. Nicht, weil Sie ihnen etwas anbieten wollen oder um sie von Ihrer »Weisheit« zu überzeugen, sondern weil es einfach spannend ist, jemanden zuzuhören und sich darauf zu konzentrieren, was die Person zu sagen hat.

Auch wenn es viele Profi-Verkäufer nach wie vor nicht wahrhaben wollen: Im Business geht es nicht darum, Menschen so lange zu bequatschen, bis sie einen Vertrag als Akt der Kapitulation unterzeichnen, sondern darum, Menschen mit Interesse anzuhören und nach Möglichkeit deren Probleme zu lösen.

In Schritt 7 lernen Sie folgende Dinge:

- mit Interesse auf andere Menschen zuzugehen
- die Bereitschaft, anderen Menschen zuzuhören
- Wertschätzung gegenüber den Äußerungen anderer
- spannende Gespräche basierend auf den Äußerungen Ihres Gegenübers zu beginnen

9 Die Light-Version

Es kann sein, dass Ihnen die sieben Schritte oder einige davon Angst machen. Oder Sie fühlen sich in anderer Weise unwohl. Das ist ganz normal. Doch genau diesen Kloß im Bauch zu überwinden ist das Ziel dieses Trainings. Nur wenn Sie ganz konkret daran arbeiten, die Grenzen Ihrer Komfortzone zu überschreiten und damit auszudehnen, können Sie »wachsen«, Neues erlernen und schließlich von der Kontaktangst zur Kontaktfreude gelangen.

Falls Ihnen der eine oder andere Schritt trotzdem besonders schwer fällt, schlage ich vor, dass Sie ihn auf einer Networking-Veranstaltung üben. In fast jeder Region gibt es XING-Gruppen oder Networking-Organisationen wie BNI (Business Network International), wo sich Menschen treffen, um zu netzwerken. Hier müssen Sie weit weniger mit negativen Reaktionen rechnen und können sich im Kontakt mit anderen ausprobieren. Die Menschen kommen zu solchen Veranstaltungen, um Geschäftspartner zu finden, und sind im Allgemeinen froh, wenn sie nicht den ersten Schritt machen müssen.

Diese Light-Version ist womöglich am einen oder anderen Punkt Ihrer Entwicklung eine wichtige Hilfe, um Mut für den nächsten Schritt zu schöpfen. Allerdings sollten Sie sich bewusst sein, dass es zur Zielerreichung notwendig ist, den Erfolg in »freier Wildbahn« zu erreichen, also draußen auf der Straße, irgendwo im Alltag. Nur das wird Sie nachhaltig weiterbringen.

10   Trainingsschluss?

Sie haben nun die sieben Schritte Ihres Trainings zur Überwindung der Kontaktangst erfolgreich abgeschlossen. Herzliche Gratulation! Das wird Ihnen im Berufs- und Privatleben manche Tür öffnen.

Bei einem meiner Vertriebspartner ging das Türöffnen so weit, dass er heute mit einer Person, der er ein Kompliment gemacht hat (Schritt 6), verlobt ist.

Ich hoffe sehr, dass Ihnen das Üben auch Spaß und viele Erfolgserlebnisse gebracht hat. Doch vergessen Sie nicht: Übung macht den Meister. Auch nachdem Sie das Training durchlaufen haben, lohnt es sich, ab und zu einen Repetitionstag einzulegen und einen der Schritte konsequent durchzuziehen.

Es würde mich freuen, wenn Sie ein Online-Feedback mit Ihren Erfahrungen und Erfolgen mit dem Training hinterlassen.

Ihre Anne Schlosser

Lightning Source UK Ltd.
Milton Keynes UK
UKHW040050050820
367678UK00002BA/331